D1410554

Titre original : *Splat the Cat on with the Show*
© 2013 by Rob Scotton
Couverture : Rick Farley
Texte : Annie Auerbach
Illustrations intérieures : Loryn Brantz

Publié avec l'accord de Harper Collins Children's Books, une division de Harper Collins Publisher Inc.

Édition française :
© 2014 Éditions Nathan, Sejer, 25 avenue Pierre-de-Coubertin, 75013 Paris.
ISBN : 978-2-09-254985-8
N° d'éditeur : 10197923

Conforme à la loi n° 49-956 du 16 juillet 1949 sur les publications destinées à la jeunesse,
modifiée par la loi n°2011-525 du 17 mai 2011.

Dépôt légal : janvier 2014.
Achevé d'imprimer en décembre 2013 par Pollina (85400 Luçon, France)- L66720B.

Splat
fait son spectacle !

D'après le personnage de Rob Scotton

Nathan

Splat et ses camarades de classe sont enfin prêts
pour le spectacle de l'école, *CHADRILLON*.
Dans les coulisses, les acteurs s'agitent
sous leurs costumes.

Splat est tellement excité à l'idée de jouer
qu'il en frissonne de partout !

« Que le spectacle commence ! » annonce
madame Mioufett. Le rideau se lève.
Sur scène, Kattie-Chadrillon est en train
de balayer.

Pauvre Chadrillon !

Sa belle-mère et ses sœurs sont très méchantes
avec elle : « Nettoie par terre, reprise cette robe,
nettoie encore ! » hurlent-elles.

Un jour, un bal est organisé au château du prince.
Chadrillon reste toute seule chez elle et pleure
sans pouvoir s'arrêter.

Soudain, sa marraine Magic Marraine
apparaît dans un nuage de fumée !
C'est Harry Souris qui tient
ce rôle à merveille !

Magic Marraine transforme le vieux tablier
de Chadrillon en une robe merveilleuse.
Puis elle transforme les souris en un magnifique
attelage.

Mais, hélas, dans les coulisses,
Grouff aussi est en train
de se transformer...

Et soudain, c'est la catastrophe !
Au moment de faire son entrée sur scène, dans le
rôle du prince, le Chat Charmant, Grouff a le trac.
– Je ne peux pas y aller. Je ne me sens pas bien.
Regardez, j'ai une allergie, déclare-t-il en montrant
de drôles de boutons.

– Oh mon Dieu ! Qu'allons-nous faire ? s'inquiète madame Mioufett.

Soudain, Kattie a une idée.

– Et si Splat reprenait le rôle de Grouff ?

À cette idée, la queue de Splat se met à trembler d'inquiétude. Lui aussi a peur de ne pas y arriver !

Splat regarde Kattie qui lui sourit.
Il ne veut pas la décevoir et accepte
courageusement le rôle du prince.

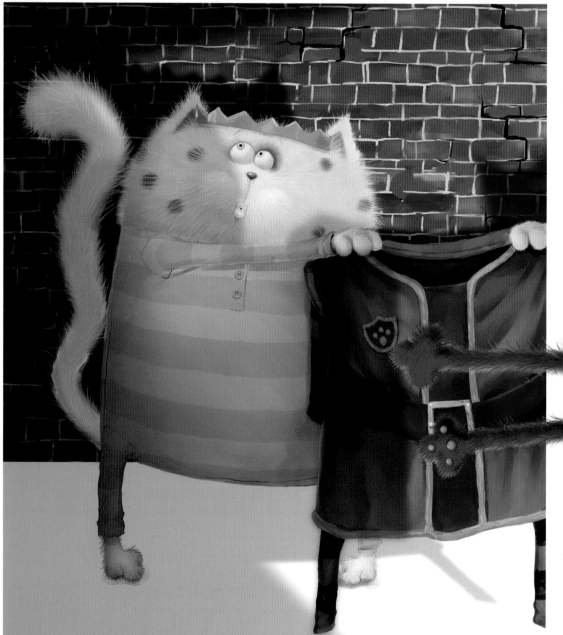

Un rapide changement de costume...

... et voilà Splat transformé en Chat Charmant !
Son costume est un poil grand, mais tant pis.

Le rideau s'ouvre sur la scène du bal.
Le Chat Charmant s'incline :
– M'accorderez-vous cette danse ?
Chadrillon et son Chat Charmant se mettent
à valser au son de l'orchestre.
Ils dansent sans s'arrêter jusqu'à ce que...

DONG, DONG, DONG,

la pendule sonne les 12 coups de minuit.
Vite ! Chadrillon doit s'enfuir !

Splat essaie de la rattraper...

mais il se prend
les pattes dans son
costume trop grand...

bouscule Plume-la-Pendule...

tente de se rattraper au rideau...
et le déchire !

Attention SPLAT !

Tout le décor se met à basculer !

Les spectateurs retiennent leur souffle...
Quelle pagaille !

« Madame Mioufett va être très en colère »
se dit Splat inquiet. Quand soudain...

Toute la salle se met à rire et à hurler :

Bravo !

Encore !

Encore !

Madame Mioufett s'approche de Splat
et lui chuchote à l'oreille :
— Splat Charmant, seriez-vous prêt à refaire
la même chose... demain soir ?

BRAVO
SPLAT !!